Publié par Scholastic, Inc. Distribué au Canada par Grolier.

ISBN 0-7172-4134-3

Dépôt légal 4e trimestre 2004
Bibliothèque nationale du Québec

Imprimé aux États-Unis

DISNEY PRÉSENTE UN FILM DE PIXAR
LES INCROYABLE
GROLIER

Il n'y a pas si longtemps, un petit mais efficace groupe de héros stoppait les criminels et protégeait les citoyens grâce à ses pouvoirs spéciaux. On les appelait les Superhéros. Parmi eux, il y avait Frigozone, Gaser Blème et Élastofille.

Mais l'un des Superhéros se distinguait des autres. Son nom: Monsieur Incroyable.

Il était le plus renommé et le plus populaire héros de toute la ville et il insistait toujours pour travailler seul.

Un jour, Petit, le plus grand admirateur de M. Incroyable, arriva sur la scène d'un vol de banque, vêtu de bottes d'autopropulsion qui lui permettaient de voler. Nullement impressionné, M. Incroyable lui dit, « Vole chez toi, Petit. Je travaille seul. »

Mais Petit resta néanmoins, et M. Incroyable dut le secourir quand une bombe explosa. Résultat : un voleur en fuite, des rails de chemin de fer détruits et de nombreux blessés. C'est à partir de ce jour-là que la vie des Superhéros bascula. . .

La population se mit à douter des capacités des Superhéros. Le gouvernement décréta qu'il était désormais interdit aux Superhéros d'utiliser leurs pouvoirs spéciaux. M. Incroyable et sa nouvelle épouse, Élastofille, prirent le nom de Robert et Hélène Parr.

Aujourd'hui, les Parr ont trois enfants et vivent comme tous les autres citoyens, sauf que leurs deux aînés, Violette et Rush, possèdent des superpouvoirs. Seul le bébé, Jack-Jack, semble pour l'instant en être dépourvu.

Les enfants, comme leurs parents, ne peuvent pas utiliser leurs pouvoirs en public. À la maison, c'est une autre histoire. Rush use de sa supervitesse pour agacer sa sœur, qui elle devient invisible et s'entoure d'un champ de forces. Leurs parents doivent constamment intervenir en utilisant leurs superpouvoirs. Cette vie est difficile pour tout le monde, en particulier pour Robert. . .

Sa vie de Superhéros lui manque. Robert et son ami Lucien Meilleur (autrefois Frigozone) se mettent donc à combattre le crime et à aider les gens — en secret.

Une nuit qu'ils volent à la rescousse des résidants d'un immeuble en flammes, quelqu'un les observe!

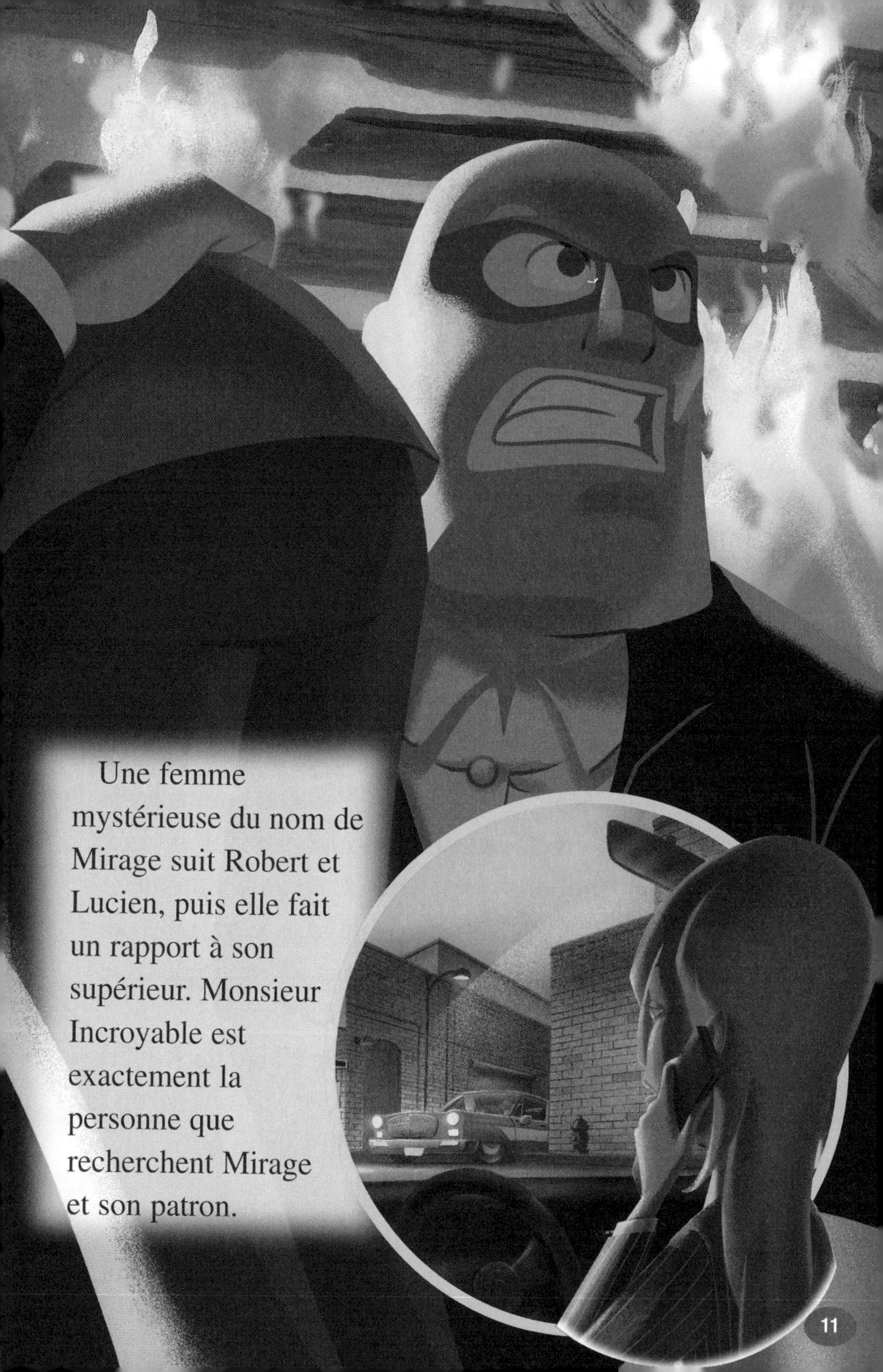

Une femme mystérieuse du nom de Mirage suit Robert et Lucien, puis elle fait un rapport à son supérieur. Monsieur Incroyable est exactement la personne que recherchent Mirage et son patron.

Le lendemain, Robert est congédié de son boulot après une dispute avec son employeur. En rentrant chez lui, il trouve un petit ordinateur dans sa mallette. L'écran s'illumine.

«Bonjour M. Incroyable», dit Mirage. «Je travaille pour une agence secrète du gouvernement et vos aptitudes particulières nous intéressent vivement.»

Le gouvernement, dit-elle, demande l'aide de Robert pour stopper un robot expérimental dont ils ont perdu la maîtrise. Mirage lui offre trois fois le salaire qu'il gagne à son emploi *normal*.

«Les superhéros n'ont pas disparu. Vous en êtes la preuve», conclut Mirage. Puis son message s'autodétruit.

Robert accepte cette mission secrète et décide de ne pas informer sa famille qu'il a été congédié. . . encore une fois. Il leur raconte plutôt qu'il doit partir en voyage d'affaires.

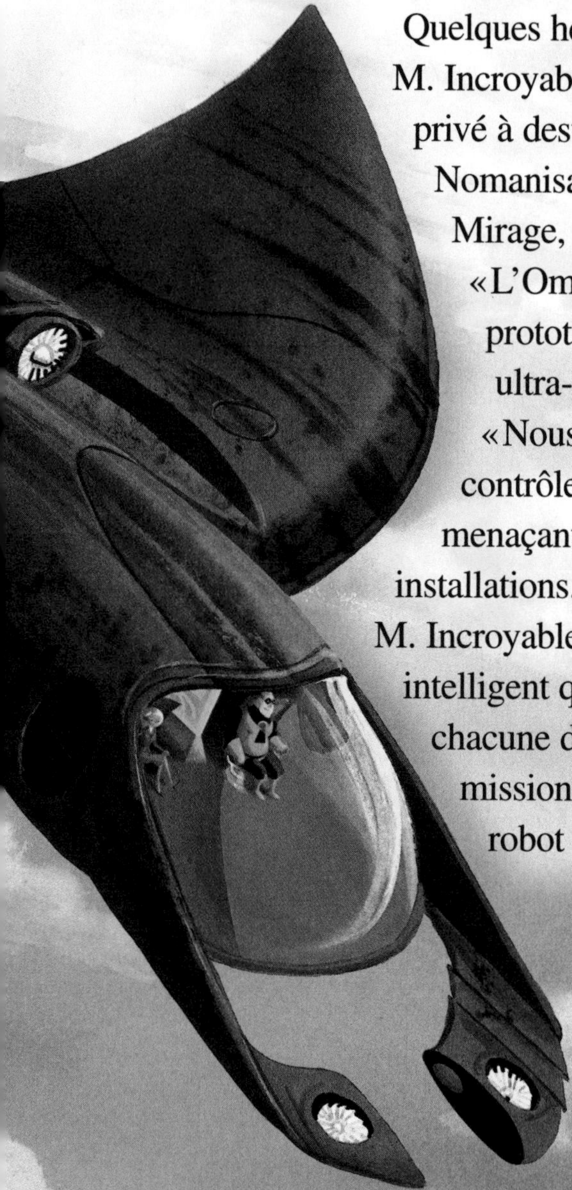

Quelques heures plus tard, M. Incroyable est à bord d'un jet privé à destination de l'île Nomanisan. Il écoute attentivement Mirage, qui lui décrit la mission. «L'Omnidroïde 9000 est un prototype de robot de combat ultra-secret», explique-t-elle. «Nous en avons perdu le contrôle et il erre dans la jungle, menaçant de détruire nos installations.» Mirage prévient M. Incroyable qu'il a affaire à un robot intelligent qui apprendra rapidement chacune de ses tactiques. Sa mission consiste à vaincre le robot sans le détruire.

«Le neutraliser. Agir rapidement. Ne pas le détruire», résume M. Incroyable.

Il va à nouveau être un véritable superhéros! Évidemment, il y a longtemps que M. Incroyable n’a pas affronté un robot hors de contrôle. Et il y a aussi le fait qu’il n’est pas en superforme. . .

CHLAC!

BANG!

Qu’importe, M. Incroyable réussit à déjouer le robot et à le neutraliser, sous les yeux de Mirage et de son patron qui l’observent depuis le quartier général.

M. Incroyable tressaille de joie. Il se sent revivre! De retour chez lui, sa routine quotidienne change. Alors que tout le monde le croit au travail, M. Incroyable fait de la musculation. En peu de temps, il retrouve sa condition physique d'autrefois!

Il demande même à Edna Mode, l'ancienne costumière des superhéros, de lui confectionner un nouveau supercostume. Lorsque Mirage le rappelle, M. Incroyable est prêt pour sa nouvelle mission secrète. Suivant les instructions de Mirage, il retourne sur l'île Nomanisan. Il ne se doute pas un seul instant que le danger le guette!

Il affronte à nouveau un Omnidroïde. Mais celui-ci est plus rapide et plus fort — et plus intelligent! Il prévoit toutes les manœuvres de M. Incroyable.

L'Omnidroïde capture le Superhéros!

Soudain, un rire diabolique se fait entendre. « Il est plus grand! Il est plus méchant! Il est enfin prêt! » clame un homme aux cheveux en broussailles, qui s'arrête devant le prisonnier.

« Petit? » demande M. Incroyable.

« Je ne m'appelle pas Petit, ni IcroyablAdo! Et dire que tout ce que je voulais, c'était t'aider », crie amèrement Petit, devenu adulte. « Mais j'ai appris une chose importante : on ne peut se fier à personne! »

«Je possède aujourd'hui une arme que moi seul peux détruire», poursuit-il, d'un ton diabolique. «Je m'appelle Syndrome!»

Syndrome pousse M. Incroyable au bas d'une falaise, au pied de laquelle coule une rivière.

Puis, Syndrome lance une bombe dans la rivière pour se débarrasser du Superhéros à jamais.

Mais M. Incroyable trouve refuge dans une grotte sous-marine. À l'intérieur, il découvre le squelette de son vieil ami Gaser Blème.

Heureusement pour M. Incroyable, cependant, le squelette lui offre une cachette et un moyen d'éviter le laser sonde de Syndrome. De plus, Gaser Blème, avant sa mort, a gravé le mot *KRONOS* dans la paroi rocheuse.

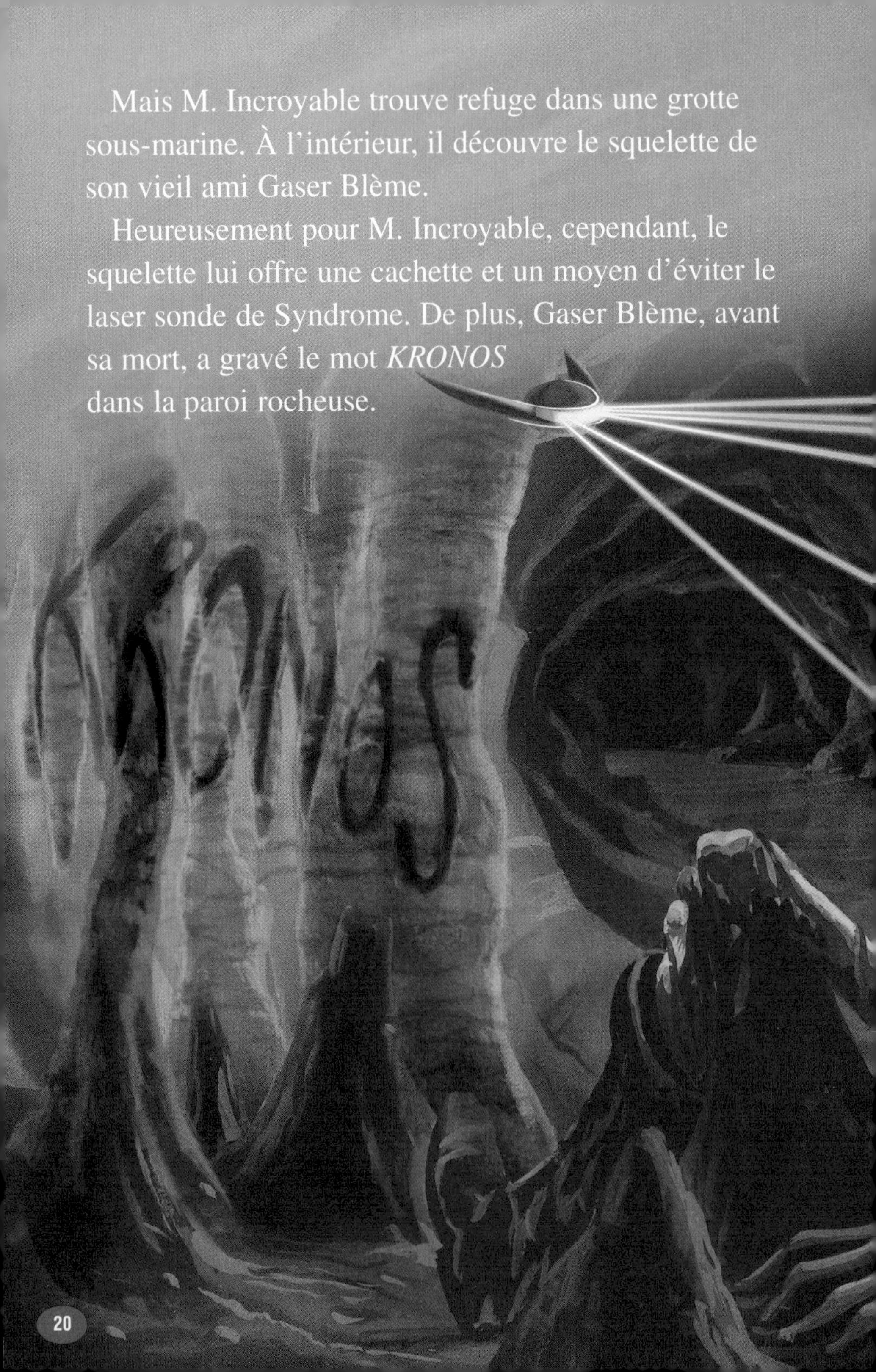

M. Incroyable ressort de la grotte et se rend au quartier général de Syndrome où se trouve l'ordinateur principal.

M. Incroyable tape le mot *KRONOS* et le plan de Syndrome s'affiche sur l'écran. Il y a une longue liste de noms de Superhéros — et presque tous portent la mention ANÉANTI. On devine rapidement que Syndrome s'est débarrassé des Superhéros, après avoir profité d'eux pour entraîner son Omnidroïde. Maintenant qu'il a perfectionné son méchant robot, Syndrome va le lancer sur la ville.

Soudain, le costume de M. Incroyable émet un bip. M. Incroyable ne sait pas pourquoi, mais il sait qu'il est temps de fuir s'il veut échapper aux gardes de sécurité de Syndrome. Mais il doit s'avouer vaincu lorsqu'une bande de créatures gluantes l'entoure et le capture.

Le bip était émis par un dispositif de repérage cousu dans le supercostume de M. Incroyable. Hélène l'avait activé lorsqu'elle avait rencontré Edna Mode pour qu'elle crée des supercostumes pour toute la famille Parr.

Hélène décide de partir à la recherche de Robert. Alors qu'elle s'apprête à demander à Violette de s'occuper de ses frères pendant son absence, Rush trouve les nouveaux supercostumes. Il enfile le sien et court partout dans ce costume superrapide. Celui de Violette devient invisible lorsqu'elle-même le devient.

«Ça suffit vous deux!» intervient Hélène.

Après avoir repris les choses en main. Élastofille monte à bord de l'avion qui la conduira à Nomanisan. Mais juste avant d'atterrir, elle se rend compte que Violette et Rush sont à bord. Ils se sont embarqués clandestinement.

« Vous avez laissé Jack-Jack tout seul? » s'écrie Élastofille.

« Bien sûr que non. On a trouvé une gardienne. Tu me crois tout à fait irresponsable ou quoi? » demande Violette.

Élastofille téléphone à la gardienne, mais l'appel est soudainement interrompu. . .

. . .car l'avion est la cible
d'une attaque de missiles!

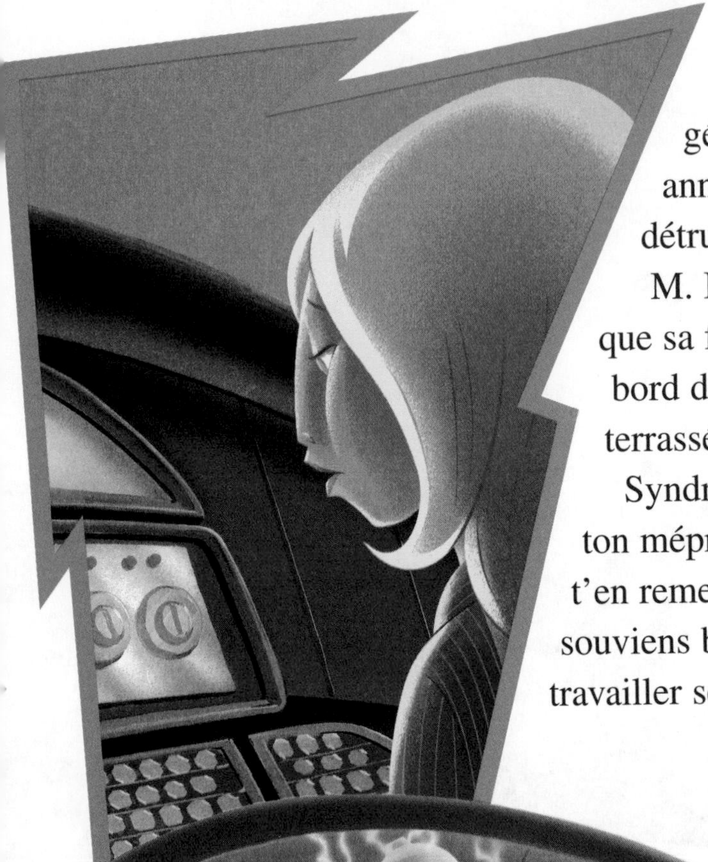

Au quartier général, Mirage annonce, « Cible détruite! »

M. Incroyable sait que sa famille était à bord de l'avion. Il est terrassé.

Syndrome dit, d'un ton méprisant, « Tu vas t'en remettre. Si je me souviens bien, tu préfères travailler seul. »

Mais Syndrome a sous-estimé Élastofille. Elle se transforme d'abord en parachute, et les enfants et elle tombent sains et saufs dans l'océan. Puis elle prend la forme d'un bateau et, propulsée par les jambes superrapides de Rush, la superfamille fonce vers l'île pour secourir M. Incroyable!

Une fois sur l'île, Élastofille trouve une grotte où Violette et Rush pourront se cacher. Elle leur tend des masques. «Portez-les. . . Et si les choses tournent mal, utilisez vos superpouvoirs.» Sur ce, Élastofille s'élance vers le quartier général de Syndrome pour secourir son mari.

Quelques instants plus tard, une énorme boule de feu chasse Violette et Rush hors de la grotte. Ce feu provient de la tuyère d'éjection d'une fusée lancée depuis la base de Syndrome. Violette et Rush regardent l'Omnidroïde traverser le ciel nocturne en direction de la ville.

Le lendemain matin, Rush voit ce qu'il croit être un oiseau parlant. C'est plutôt un vigile de l'équipe de sécurité de Syndrome. Soudain, Violette et Rush sont cernés par des gardes!

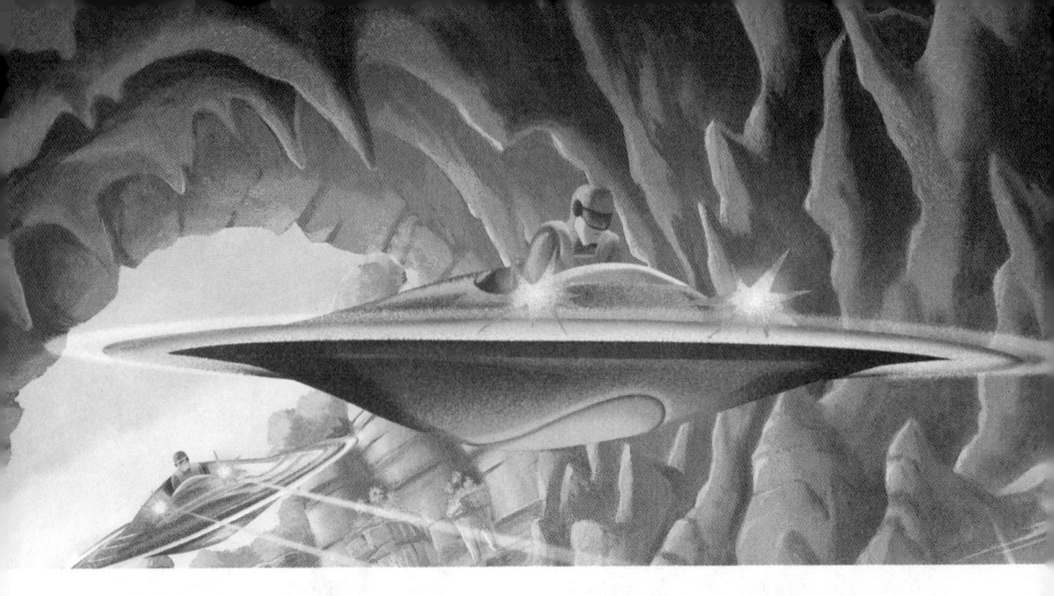

« Tu te rappelles ce que maman a dit », murmure Violette. « Cours ! » Violette devient invisible et Rush se met à courir. Leurs superpouvoirs leur sont utiles.

Pendant ce temps, Élastofille a trouvé M. Incroyable en compagnie de Mirage et elle assène un coup de poing à cette dernière. M. Incroyable tente de lui expliquer que Mirage est maintenant de son côté et qu'elle était en train de l'aider à s'échapper, mais il n'y a pas de temps à perdre.

Mirage leur apprend que des gardes sont à la poursuite de Violette et Rush. M. Incroyable et Élastofille se lancent aussitôt à la rescousse de leurs enfants.

M. Incroyable et Élastofille sont à l'orée de la jungle lorsque soudain jaillit d'entre les arbres un gros champ de forces entourant Violette et Rush.

« Maman! Papa! » crie Violette. Les célébrations des retrouvailles sont de courte durée, car les gardes de Syndrome les entourent. En unissant leurs forces, les Incroyable forment une équipe incroyable. Mais ils sont en territoire ennemi. Et Syndrome réussit à les faire prisonniers avec son rayon d'immobilisation!

Syndrome conduit les prisonniers au quartier général et leur dévoile son plan. «Le robot fera une entrée fracassante dans la ville, causera quelques dommages et, quand tous les espoirs seront perdus, Syndrome s'amènera à la rescousse! Je serai plus populaire que tu ne l'as jamais été!» Sur ce, Syndrome part pour «secourir» la ville.

Entre-temps, l'Omnidroïde est entré dans la ville et détruit tout sur son passage. La population est terrifiée.

Alors qu'il semble que personne ne puisse arrêter le robot géant, Syndrome s'amène à la rescousse. «Reculez!» crie-t-il. À l'insu de tous, il appuie sur les boutons d'une télécommande et les bras de l'Omnidroïde tombent.

La foule est en délire et acclame Syndrome. Son plan a fonctionné. Aux yeux de tous, Syndrome est un héros!

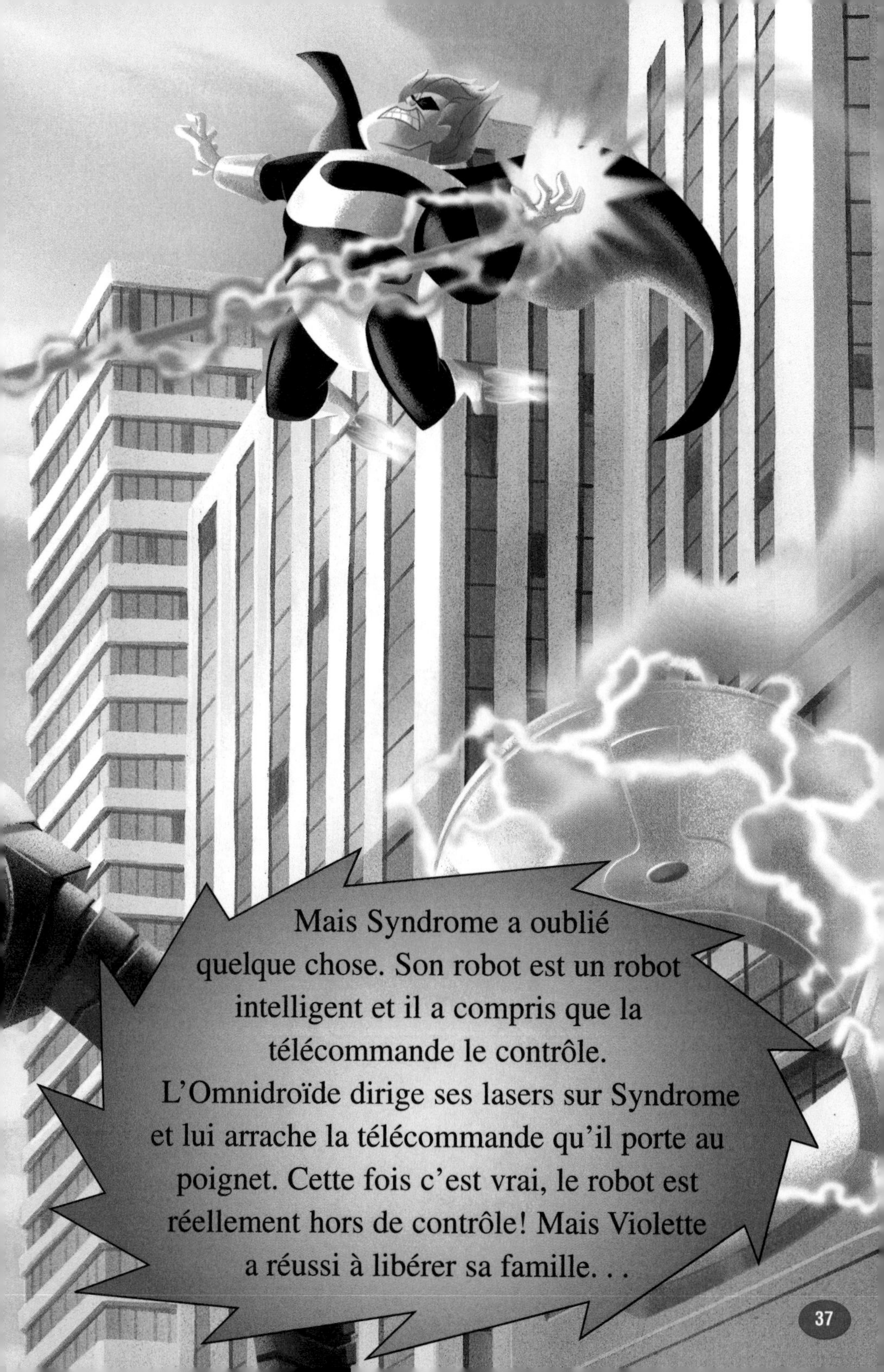

Mais Syndrome a oublié
quelque chose. Son robot est un robot
intelligent et il a compris que la
télécommande le contrôle.
L'Omnidroïde dirige ses lasers sur Syndrome
et lui arrache la télécommande qu'il porte au
poignet. Cette fois c'est vrai, le robot est
réellement hors de contrôle! Mais Violette
a réussi à libérer sa famille. . .

. . .et les Incroyable se dirigent maintenant vers la ville à bord d'une des fusées de Syndrome. À leur arrivée, M. Incroyable avise les siens qu'il affrontera l'Omnidroïde tout seul. Devant le regard offusqué d'Élastofille, il ajoute, « Je ne peux supporter l'idée de vous perdre. Je n'en aurai pas la force. »

Surprise et émue par les paroles de son mari, Élastofille répond doucement, « Si on travaille ensemble, rien ne pourra nous arriver. »

Les Incroyable unissent donc leurs superpouvoirs à nouveau. Leur ami Frigozone se joint même à eux. Ensemble, ils réussissent à vaincre l'Omnidroïde!

M. Incroyable saisit un des bras amovibles de l'Omnidroïde et le pointe vers le robot. Élastofille appuie sur les boutons de la télécommande. Le bras part en flèche et heurte violemment le robot. L'Omnidroïde s'effondre et explose.

IIIAAARRRR!

BANG!

CHLAC!

Les Superhéros ont gagné! Ils ont détruit la perfide et terrible invention de Syndrome. La foule les acclame.

Mais la partie n'est pas gagnée pour la superfamille. Syndrome veut sa revanche. En arrivant chez eux, les Parr découvrent que Syndrome a kidnappé Jack-Jack!

Les Incroyable passent à l'action, tandis que Syndrome se propulse vers son jet.

Fort heureusement, Jack-Jack est bel et bien doté de pouvoirs. Il se transforme en monstre!

Effrayé, Syndrome le laisse tomber du haut des airs. Aussitôt, M. Incroyable lance Élastofille dans sa direction et celle-ci attrape Jack-Jack. Puis elle se transforme en parachute et mère et fils descendent lentement vers le sol. Syndrome n'a pas cette chance. Sa cape se coince dans le moteur de son jet, provoquant son explosion. Jamais plus les Incroyable n'auront à craindre Syndrome.

Ils seront toutefois confrontés à d'autres dangers au cours de leur vie, car désormais, ils n'ont plus à cacher leurs superpouvoirs — du moins pas tout le temps.

Ils sont vraiment
une Superfamille!